U0065039

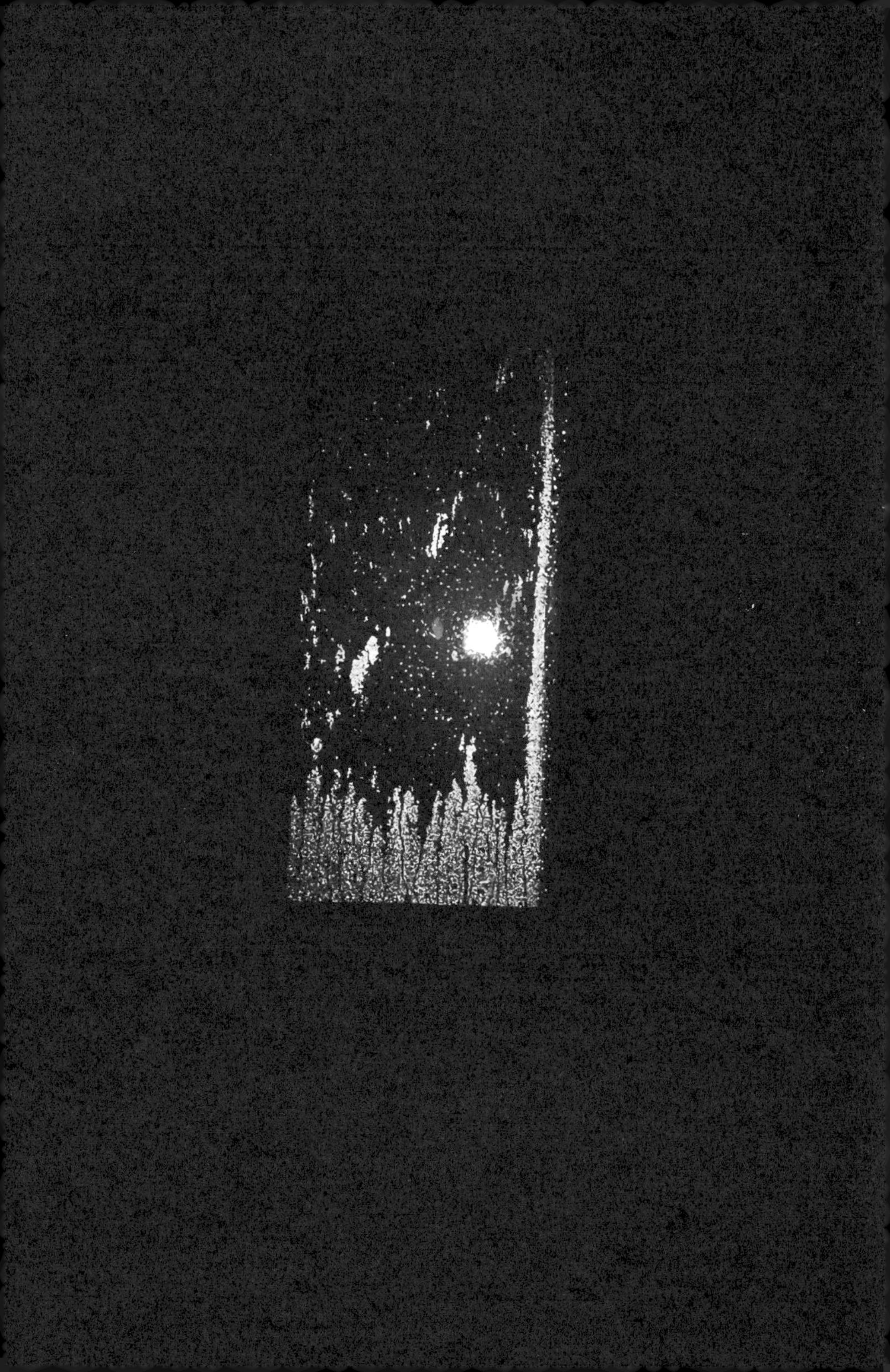

無出其右 MY RIGHT TURN

目錄

無出其右 MY RIGHT TURN

次 章 坐想其成 MEDITATION

"每個坐臥休憩之間"

無出其右 MY RIGHT TURN

參 章 只醉今謎 TEMPTATION

"挑起味蕾覺醒時"

無出其右 MY RIGHT TURN

肆 章 見意思遷 MIGRATION IN THOUGHTS

"思緒處處隨之牽動"

前言

張意如

關於右界之聲 無出其右

你曾在舞台上絢麗奪目 時而蜷曲角落暗自嘆氣
而我找了個舒服的位置 看著故事 試著說出旁白

世上的喜怒哀樂 竄流人間 咀嚼嚥下這一切成為養分
不過是一生 吸取與給予的過程
你立於天地 獨一無二無不殘缺 是以缺而邁向圓

詩 本來藏於書 是每一個你
帶著字裡行間旅行 走進生活 賦予了生命
從此我們便不再是陌生人

可貴的我們 終將在失去裡 看見彼此的亮光 獲得 因而釋放

作者序

張意如

背著背包拿著相機 隨性紀錄風雨花草 百年建築

沒了語言的喧嘩

滿滿的畫面以及堆積的文字在腦海裡盤旋 蘊釀的情緒豐沛旅行

街道上隨便一家就是古意盎然的店 找一面大大的窗

配上一杯咖啡 聽著古典音樂與雨滴的合旋

世界濛上一層神秘的紗 輕易的回到百年以前 ...

也許是這場突然來的雨

不知不覺的店裡雜聲四起 一個大塊頭擋住了視線

接著傳來輕快的聲音 拉回思緒 .. 是否介意同坐 ..

順口說了不介意 其實 有些不甘被打擾

顯而易見桌上的書 成了最佳的話題 就算是陌生人

聊起你的我的 欲罷不能 沒有漫長歷史交集的兩人之間

只有小圓桌的距離

最終 雨停了

店裡恢復安靜

喔 眼神再次交會

要說.. 再見嗎

短暫美好的相遇 一杯咖啡的情份

捨不得又如何 明日各自東西

默契的點頭微笑 灑脫地揮揮手

給予祝福 是旅者的精神

也許匆匆 走在同一條街上 擦身而過 或僅有一面之緣

人生的旅途裡短短的同框 不也成了特別風景的你

藏在我的書裡 等待發現

* 本書得來不易 感謝

佟文邁先生的贊助發行和英文翻譯 以及

張肖龍先生選詩配圖的編輯

Chapter I

首章

花言草語

源 緣

寫下 詩

緣於 際遇

庸碌中 鮮活身影

回首時 點滴有味

寫下 你

源起 從頭

癡 想

葉兒翩翩傻傻落
小徑人人嚮往之
霧裡巧遇不想離
昂首讚歎誰不癡

山海之情
一陣陣暖風吹拂 帶走
昨夜夢裏荒蕪的涼
雲霧 分分合合 捉摸不定
浪與鷗 稍來海的呢喃
大山與之 深情的對望
動 靜之間 怎的轉眼千年
美麗的你 怎知我的哀愁

相思一

率性地斷了雜念
卻奈何不了性子

錯置了的時空
殘了僵化的身
入了相思的血

化作縷縷輕煙
飄向無知的你

———— 。————

陽光乍現撥雲起

晴情難掩白髮絲

佳人入夢不想醒

風雨不歇是相思

相思二

風吹走了枯竭的葉
雨又不解的鬧著情緒

冷冷的

夜要如何賣弄風情
最後連巷弄都冬眠了

留給我

懷想那陽春麵的香氣

數不盡

波動如浪襲捲的回憶

化不開

濃郁又已模糊的鄉味

何來　前世今生 因緣

沒花　亦聞得花香

距離　抽象的兩端　如點

思念　不見身的心　如線

何求　末了你懂　不虛此行

緣往藏煙

行百岳度川河　迷追
就地拾緣

攬青春妄逐夢　意飛
心神嚮往

遇花香見葉影　慕隨
美顏盡藏

驀然驚醒　半生已繪
音韻如煙

不久 絢麗的陽光 變得刺眼

再不久 徐徐的微風 變得強烈

換個位置 一切變得柔和多了

不久 失去的心 變得多愁善感

再不久 麻痺的身 變得沈重

換個角度 一切變得輕鬆多了

或站或坐 ... 且站且坐

每個結束 ... 亦是開始

該起身時就不要停留
免得身子僵硬久了 哪兒也去不了
該停留時就要駐足
免得錯過了細節
別再問該不該了
可以留白 可以寬闊

No need a drop of tears
No regret and fear
No matter good or bad
Sweet or sour
You and I far or near
No one knows what is better
Embrace Embrace the world
Waste time no more
Just cherish to be together

珍　惜

無需掉一滴淚　一滴淚
沒有　後悔　和害怕
不管　好　壞　酸　或甜
你和我　你和我　遠或近
沒　人　知道　怎樣　較好
擁抱　擁抱　這世界
不再　荒唐　浪費時間
只要　真心　珍惜相聚

知　足

敲敲　度日

有時傻傻糊塗　喜形於外

有時費心解憂　沉靜於內

品嚐年歲　入口的不入心　將就

行千里　勿忘美好來時路　知足

心隨意　輕撩水波不留痕　也悅

自　生

倚晨　悠閒的徐徐微風
帶著　清涼的空氣散心
雲朵兒　結伴度假去了
夏陽　獨享一整個藍天

你　眨眼間落地生根
自顧自地　悄悄綻放
不受拘束　賞心悅目
隨性的　裝飾了平淡

也不過幾個月 再次見到
泛空的眼神 框在黑眼圈裡
臉頰深凹 蒼白的似是粉妝
纖細的四肢 勉強撐起行囊

內心滴血 強忍淚水
母親的擠帶乾涸
無力輸送養分 如何想像
是一場什麼樣的爭戰

心 痛

故事不由我說 企圖
如旁觀者的理智 忽略
隱隱錐心刺骨的 熟悉
卻遠遠超過生產的痛

陣陣涼風送秋波

葉葉綻紅醉心頭

頻頻回眸欲留影

痴痴懷想共遨遊

似瀑布般的一瀉千里

攬住所有的目光

任風吹 走的遙遠

沒有花兒的貴氣

帶著長驅直入的氣魄

領著 無法言喻的感受

剪不下 就由它揮撒吧

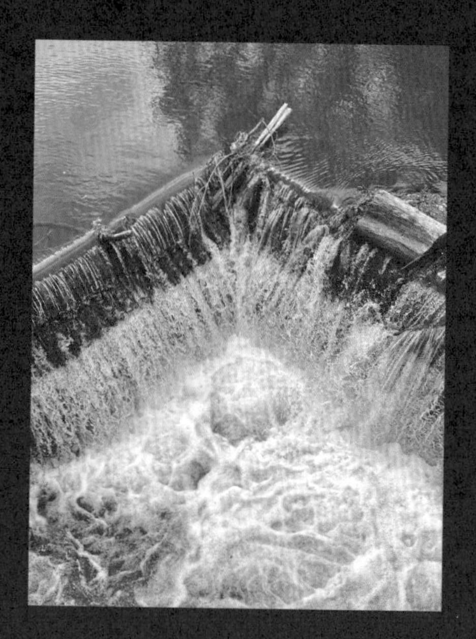

瀟 灑

身影

遠方模糊的曲線
一種熟悉的步調

似曾相識的味道
在我過往的記憶

幾絲的歡笑
淡淡的哀愁

漸行漸遠漸消逝
兩條平行的軌道

你　孤傲的身影

生 活

千篇一律周而復始
一再
重複

無聊 乏味的模式
令人
窒息

自己 擺放在那裡
入詩
達意

書寫 拼圖的遊戲
活之
樂趣

不久 絢麗的陽光 變得刺眼

再不久 徐徐的微風 變得強烈

換個位置 一切變得柔和多了

不久 失去的心 變得多愁善感

再不久 麻痺的身 變得沈重

換個角度 一切變得輕鬆多了

或站或坐 ... 且站且坐

每個結束 ... 亦是開始

進 退

該起身時就不要停留
免得身子僵硬久了 哪兒也去不了
該停留時就要駐足
免得錯過了細節
別再問該不該了
可以留白 可以寬闊

薔　薇

這樣的夜誰還未睡　約了誰

藍藍的天空　月圓靜相隨

涼涼的微風　挽著雲慢飛

我眼中唯一的薔薇玫瑰

月光下優雅的曲線令人醉

黎明前屏息等待這季的純粹

戀戀懷想舞一曲芬芳香味

本來如此

花朵 藍紫 嫣紅 黃橙 粉紅
貴氣 撫媚 嬌豔 活潑 飄香
各個燦爛領春 引人愛慕

海水湛藍透明 光腳沾了暖沙
雨水滂薄 一陣浪來透濕涼
陽光乍現 依然起了哆嗦

那些美好

似香甜的果酸 上彩的糖霜
匆匆忙忙地 大口盡興淺嚐
開心的沒了煩惱 微風輕拂

去了何方

總是不經意 瞬間的感覺空白
登高眺望 山川河谷迴盪
呼喚著記憶 是否遺落在某處

由內而外 不停轉換
靈魂 不安於室 眺望
像蝴蝶 找尋花粉
像蜜蜂 採收花蜜
深深的吸引 屏息
無法停止 咀嚼玩味

安 定

能不能就在此坐下

甚麼也不做的 發呆
讓繁忙的腦袋 放空
就定睛在 一盆栽
想著那枝葉 色澤
感覺 我就是它

繁瑣已不復存在
也許是一種奢侈
也許是一種能力

下次你見我不語
我已融和於大地

終究是愛自己的
容許悄悄停留片刻
稍後我將大步向前

腳步 不急不緩
態度 堅定不移

飄　浮

你遭受了巨大的打擊，無預警的失去了即將18歲的兒子，

那是多麼深層的痛…

同樣身為父母的我們，心中多少美好的幻想，

不敢碰觸這樣的念頭；快樂的時候大家很自然的向你靠近，

當你悲傷時，就變得異常的困難，不是害怕你…

而是無論如何的努力，我們都害怕自己…

既無法減輕你的痛苦，也沒有能力全心全意去體會…

太直接太赤裸

你並沒有怨天尤人，在我們啞口無語時，

你拉起了我們的手說，請讓我為你們禱告吧

你簡短述說了他生前的美麗，年輕的活力抵不過世上的憂愁，

掛念著的是他靈魂的去處

我們因此沈默…一起面對冰冷的事實…手牽著手合力祈禱…

一股暖流瞬時從指間傳遞

你的摯愛…化成芬芳花粉…隨著你的腳步旅行…

時光荏苒物換星移…你我離開之時…

溫度、意念仍在大氣中飄浮著…直到天家

“每個坐臥休憩之間”

Chapter II

MEDITATION

也　許

也許　他的夏天　是你的冬天

也許　你的歡樂　是他的悲傷

無意間　是誰進退　攪和圈圈

曾有那麼幾回　能做的手腳對立

又是這麼幾回　能說的唇齒相扣

彩色黑白　沒有對錯的　開始結束

保有的灰　是無害之距　朦朧守候

隨著季節　交替承載的　跨越邊界

異地的停泊　重拾回憶　追趕幸福

次章

坐想其成

尋 根

因著結束而開始的旅程

我輕踏 父母留下的痕跡

連結關於他們和我的存在

在霧裡見證 死亡的孤獨

再也止不住 自由之心吶喊

一路跌撞摸索 生命的意義

隔空觀望 他們的起初

那些曾經 綻放的光芒

隱隱地 觸動全身的細胞

我曾虛擲的光陰 無處可逃

歸於寧靜之餘 些許的安慰

我們將在應許之地 重逢

孩 提

原本霧色模糊了身影

我卻在山城小徑遇見

曼妙的櫻花迎風飛舞

跟著繞啊繞轉啊轉的

那時花園裏小小的我

ONLY SET OF
OPEN
DAILY
12-6

心　涼

失落了莫名傷痕

稱為必要的雜質

塑成了眼淚果凍

黃沙飛揚雨水不來

分不清是誰的是非

宇宙黑夜渲染了白晝

承接了重卻滑走了輕

站不穩的是心頭的空

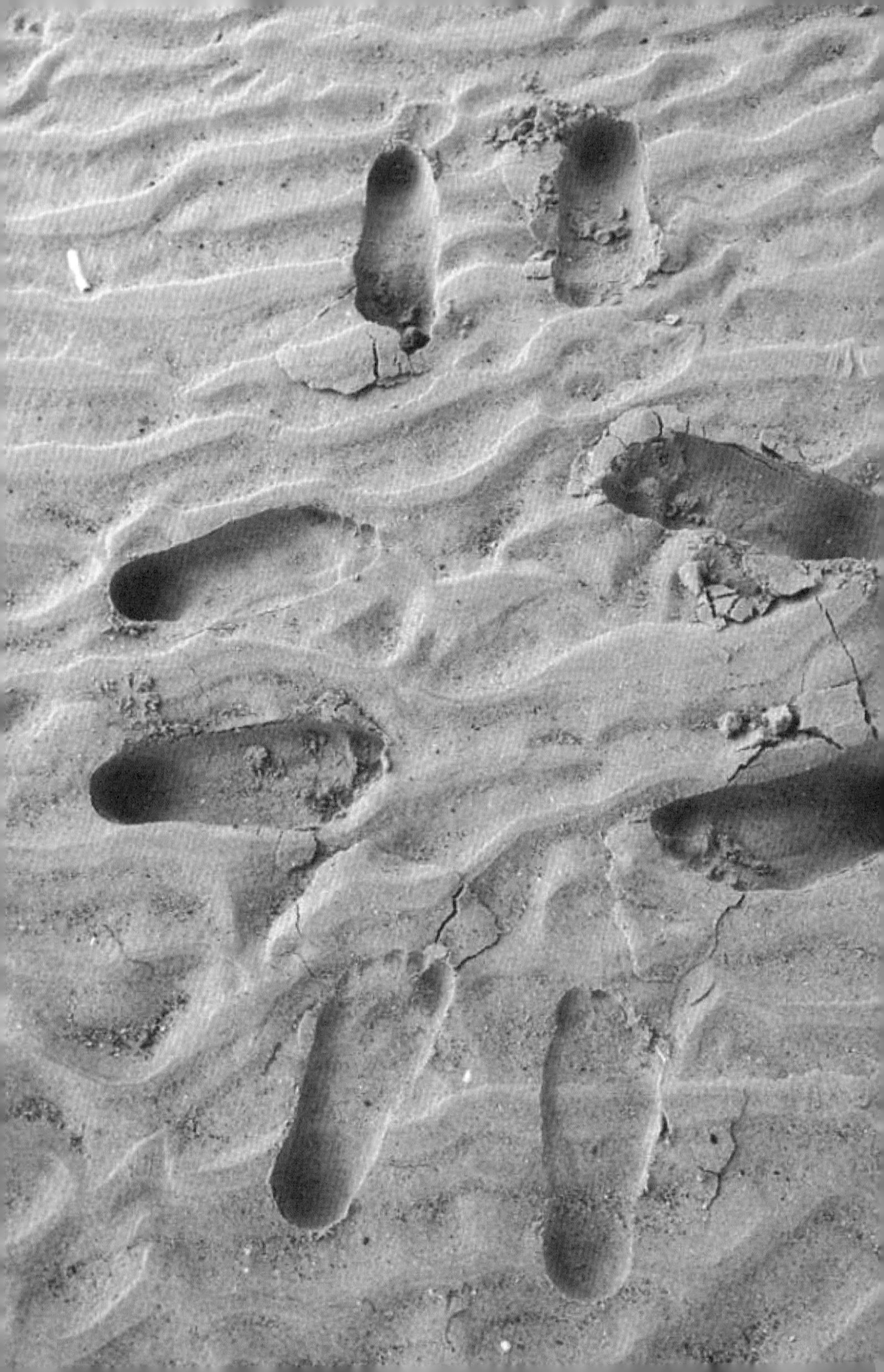

頌　讚

世界之寬　容許我
唱一首歌　輕盈自在

世界之廣　容許我
畫一幅畫　彩墨人生

心中有你　難　不難
溫暖明亮　如旭日
平安喜樂　如泉湧
每一步　祢都承接

世界之量　容許我
寫一首詩　讚嘆美好

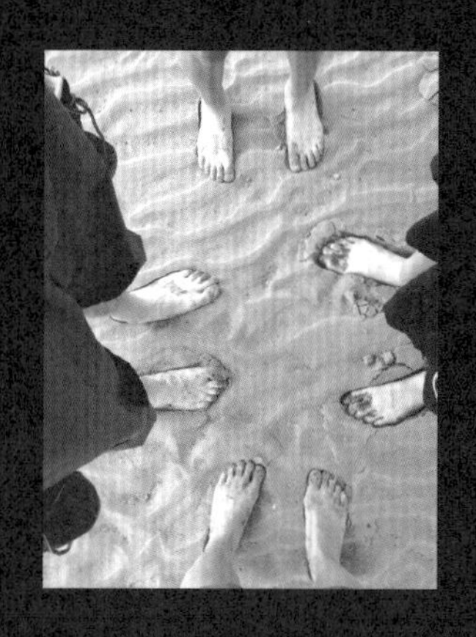

隱 念

生命波動的
頻率

萬縷思線的
碰撞

沒入的交集
暫息的火花

隱隱牽引著

沒說出口的

掛念

灑向天際

行　者

我是一行者　一路與時間賽跑
秉著單純的信念　人海中尋尋覓覓
欣賞的不是完美或主流
而是捕捉剎那間不經意流露的感動

有時是　一份熱愛生命的努力實踐
有時僅僅是　當下的一種溫度
看來似乎要求不多
卻在快速的洪流中　越顯奢侈

我是一行者　一路以來
不急不緩　觀察紀錄你們
於是匯集生命的見證
美的故事　是一種喜悅的能量
將伴隨著我　直到回歸大地

存

看 晚霞大器揮灑的紅

暇想抓住這瞬間 擁有

目不能移 屏息的讚嘆

於心之沉 暖意之濃

短暫美好一揮即去

天色漸暗沒入大地

只見盞盞街燈亮起

如一顆顆懸念的心

任由影子四處遊蕩

存 期待下次的到來

千年以後的大地

雨水風霜　日月侵蝕

足跡 蹤影　未必可循　唯有

湖中的倒影　小徑上的石頭

挺拔的杉林　氣勢磅礡的山巒

眼神深峻的對話　留在峽谷

歌頌著關於那段巧遇的美麗

你 浪跡天涯

無意間 撞見自己

頻頻絆倒 蹣跚而行

瀟灑 不回首

離開 不著痕

午夜 過往拜訪

隱隱的 肌膚發麻

。。。

痕跡 不曾離開

5
DENT

迎

遠景遙 舉步怯生
久滯心 原處打轉

為何驚呼世變不等

風湧潮蝕 季節交替
無由再緩 起身相迎

詩　令人心頭皺

流著苦汁的墨

一筆一畫宣戰沈默

每個潛意識的不安

暗示著可能的不堪

似是而非的字句

漫談人生的輪廓

載著恆常不滅

寫下幾許相逢

抒不盡的情愁

NEWTON
Helmut Newton

明 白

可以不必 憤怒

言語如炸彈來襲
心頭靜一靜 飛過
念頭轉一轉 拋過
身體動一動 閃過

可以不用 發脾氣

直挺挺硬生生的
接下 對抗 爭辯
究竟要証明什麼

可以不理 而靜默

無知無言 無知而言
直至中年 言無不知
夜幕低垂 知而不言

傳說中的美引人著迷

摸不清的謎令人嘆息

短暫的相聚怎會煩膩

心之所繫模糊了距離

一如那細若絲線 忽隱忽現

一如那水若潮汐 忽近忽遠

一如那情若生活 忽苦忽甜

一如那景若夢境 且戀且忘

不過是茶餘談笑風聲 何妨

下不完

雨
你想要它來　它不來
你不想它留　卻賴著

山上
順勢而來　點滴在心的濕冷
延綿不絕　遍佈各處的青苔
綠意昂然　呼應春天的氣息

山下
一掃而淨　塵埃飛舞的街道
一湧而入　充滿人味的cafe
…

獨自發霉發呆　悶壞了的我

隱　藏

這會兒
一分鐘都嫌多

嘀嗒嘀嗒黑夜籠罩
等著待著黎明曙光

是誰 給上了發條
依然行走的機器人

情感深厚只能埋守

看得見臉上的微笑
看不見沈重的腳印

影子 由來的活著
來吧 點燃一絲亮光

值得呀
邁著小步上路

找到對的人

會讓你擁有

開闊的視野

成長的空間

彼此的助力

1+1=2 的效應

甜酸的結合

苦甘的滋味

合 即使一快一慢

有高有低 有人陪伴

何 以

何來 前世今生 因緣

沒花 亦聞得花香

距離 抽象的兩端 如點

思念 不見身的心 如線

何求 末了你懂 不虛此行

除　夕

日夜晨昏數算著
熟悉的街

列隊的霓虹燈閃爍
攪和著心

點綴門窗的擺飾
送舊迎新

年夜飯別具意義
團圓在即

吃著每一口香鹹
回味陳年

300 ml
Moica
M40
Taiwan
200 ml
100 ml
Come True
COFFEE
Specialty Coffee
Come True
COFFEE

情誼之維繫 愛上所擇

擇君

煮一杯咖啡 淡淡苦香
舉起一杯酒 色澤溫潤
砌上一杯茶 甘甜氣爽
擇你所愛的 搭配杯型
細緻優雅地 慢慢品嚐
點綴著平凡 生活確幸
另有譬喻 朋友們像極了各樣的咖啡 紅白烈酒 烏龍普洱綠茶．．．
需要找到合適的器皿（朋友）承接 關係搭配巧妙 彼此相得益彰 反之
令人倒胃就可惜了

Chapter III

TEMPTATION

如 茶

理性 包裝自己

感性 尋覓著可能

身心的煎熬

奢侈的 希望能懂

苦澀之後的回甘

入 茶

理性 包裝了自己
/ 不讓你一眼看穿

感性 尋覓著可能
/ 只要你看見

日夜 身心的煎熬
/ 思念惦惦

奢侈的 希望能懂
/ 心跳的頻率

苦澀 之後的回甘
/ 不枉一生一念

名 字

我的名字⋯
是親愛父母送的 禮物
意味著無謂好壞 永遠
如實無怨的陪伴 見證
願竭盡一生使它 豐富
成為獨一無二的 生命
存在唯一的目的 只為
⋯完成我個人的 歷史
⋯最終與我長眠 註記
⋯⋯⋯⋯⋯⋯⋯⋯⋯⋯⋯⋯⋯⋯
你的名字⋯
出現於我的記憶 是否
短暫閃爍即逝的 錯覺
一個模糊的影子 而已

NOEL

54

父親在他的54有了我
記憶裡有他喃喃的訴說
我如何也聽不懂的感嘆

如今我好像變成了他
正經歷著相同的感覺
難耐體內澎湃的血液
流著多愁善感的眼淚
是他的無奈所以溫柔
還是漂泊無定而滄桑

Portraits by Tongtong Deng

月圓舞曲

歲月　有痕無情　輕重自知
世間　人事冷暖　淺酌即醉

中秋　上有明月相望　下有親友相伴
管他　世事歲月幾何　人心靜賞逍遙
倘若　風雨也來湊熱鬧　歡喜共度情意濃

思　緒

離別………

凸顯了距離

醞釀了思念

化不開

牛奶的香濃

水果的酸甜

………別離

每個暑假幾乎都是在同樣的模式下度過

去年送走孩子遠赴大學到今年再聚

我們和孩子都經驗了要學習面對新的位置

從上對下到平行　在諸多不確定性中調整彼此

不至於無情也不能濫情

很難揮去那個學走路一路搖晃到18歲的影子

是的 我們給了一個雛形

一個自主的個體　漸行漸離　從立足之點線到結實著地⋯

串連我們之間的那條臍帶　仍然活躍著

似乎這回是雙向通行　我也因著孩子的茁壯得著養分⋯

晨

我在　陽光揮灑下醒來

不捨　山谷裡霧起追雲

片片枝葉上　露珠垂涎

陣陣鼓譟下　鳥群振翅

清晨美好的開始　飛翔

由是說

這樣說吧

你聽　風吹　忽冷忽熱的節奏

你看　葉片　漸紅漸落的軌跡

霎那　陽光　溫柔的擁抱影子

當下　熟悉　又怯生的味道

心底　油然　起了陣陣漣漪

想起　歡樂　相聚的笑聲

這個季節

我就是會想起你

也許也許

你就也會想起我

單 影

憶 那年沒有你的單行日記 ...

一個人 揪一個孤單 一起旅行
感覺它 跳脫了牽絆 寬闊了視野

一個人 就一個影子 一起旅行
驀然間 感性了靈魂 編織了美景

COMEDIE FRANÇAISE
Théâtre
du PALAIS ROYAL
LOVE ME
Galeries et Jardin
du PALAIS ROYAL
DU LOUVRE

像是 好奇

一廂情願地

遨遊藍天 沒有牽絆

浸身自由的寬度

想是 累了

心甘情願地

踏上土地 沒有妄想

駐足思想的交流

再美好的旅行

依然牽引著心底

踏實的感覺 回家

與自己對話

時間不等場景替換　我在原地打轉
而你朝著無知的盡頭走去　無視無感
陽光不候　想說的話殘留台階　化成蘚
失落的心掉在空曠的沙漠　風塵埋掩
分不清回憶或夢境　癡守著天方夜譚
尋覓似曾相識的溫度　歲月深情不減
願來日相逢紫藤下　嫣然迎風又一年

花瓣片片撒落地
浮雲朵朵遊藍天
田園陣陣鳴鳥啼
柳樹輕輕滑溪水

山丘凜凜挺孤寂
沙石滾滾浪來戀
屋內憧憧影相依
人和融融樂相隨

才說著莫名 白雲帶著我的夢
伴隨著院裡的花落 被風吹散

柳樹老氣橫秋 步伐蹣跚的
試著與年輕吵鬧的鳥對話

高山依然堅定不移的納悶
看著浮動的海浪嚮往著陸

瞬息萬變的只是江湖局勢
還是被人驕傲地忽略恆長
大自然展現定律的智慧

圍 牆

莫強求 強說 愁更愁

啟示隨時隨地都在
豈是輕易隨性能懂

身在圍牆裡 心在圍牆外

關於我

人類的寂寞 來自於
不能給 所以空

花盡一生尋找 懂你的人
怎不好奇 屬於自己的 我

像一座雕刻品

人生前20年
遵循前人指點 塑造雛形

再來的20年
精細雕琢努力 超越標準

爾後的每一年
開始 檢視 成品

是誰在雕刻
我

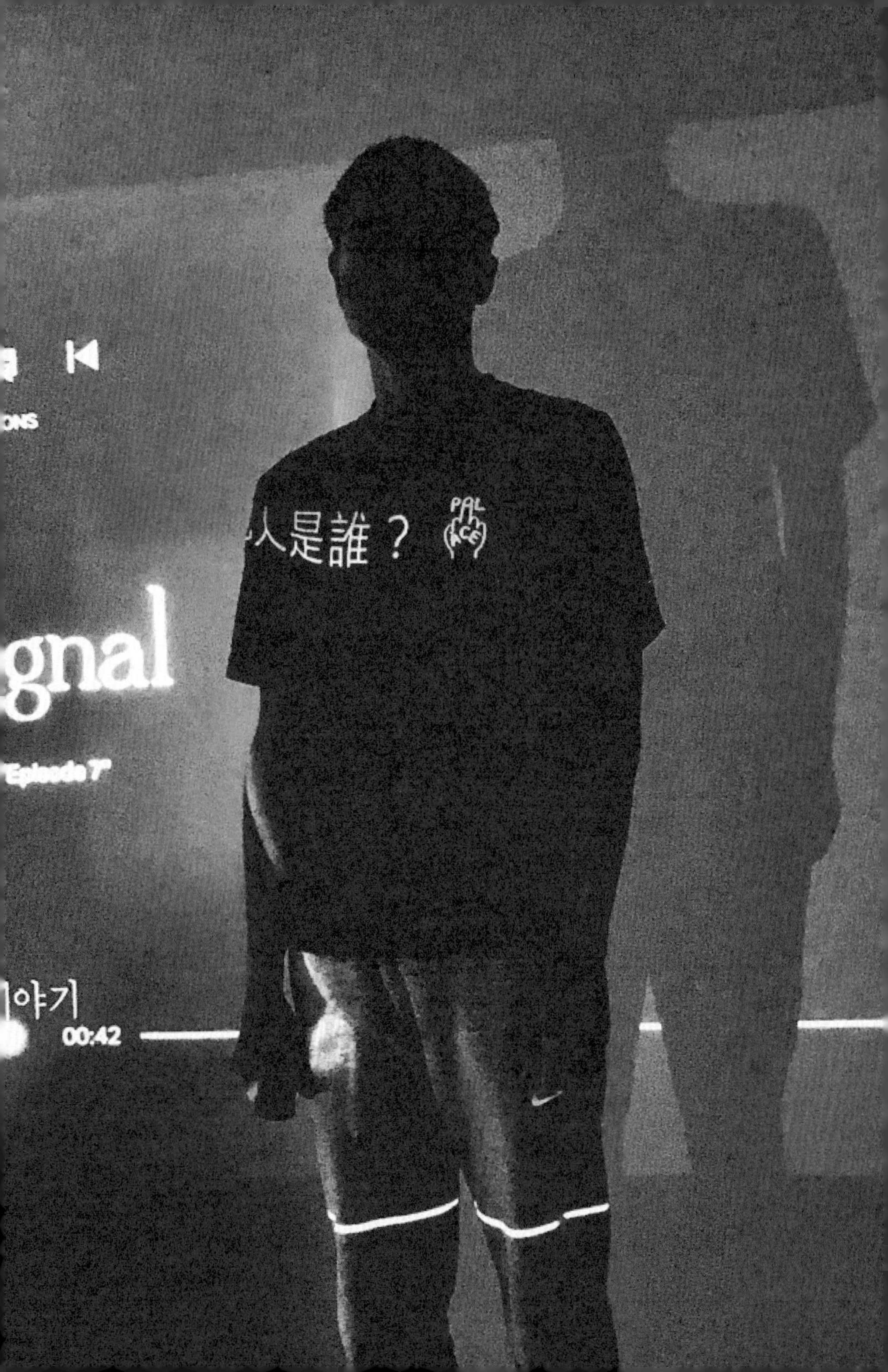

ONS

人是誰？

PAL
ACE

gnal

"Episode 7"

야기

00:42

我寫了…
卻深怕出錯
於是很努力的
又多檢查了幾回

我懂了…
卻深入淺出
於是很輕鬆的
又多了一片天地

我走了…
卻深怕遺憾
於是很樂意的
又多做了點甚麼

多了
留下的線索…已成追憶
少了
你感受到我…不復思念

多少

我聽了……
卻深怕誤解
於是很用心的
又多問問了幾次

我看了……
卻深怕遺忘
於是很用力的
又多瞧瞧了幾眼

了不了

聽不懂的邏輯
看不盡的百態
說不完的是非
學不來的道理
理不清的思緒
怨不得的命運
來不及的擁抱

百思不解的問題
奈何不了的時間
一生的演進 …
不變的眼神 …
你我的道路 …

《附註》
前一年的混亂 …
這一年的展望 …
五十五的領悟 …

遊　戲

你的　我的
孤獨　寂寞

兩個熟識的朋友
街頭巷尾　寒暄

千年不管　物換星移
兩個影子　追逐

孤獨的本質
逃避寂寞的依附

喧囂中的荒涼

似孤獨　不寂寞

驚　醒

我 目視遠方
心 卻悄悄停靠

以往接不著的
長長串延 掉落

戀戀美好 留不住
忘不了 拾不起

凋朽 驚醒 又一年

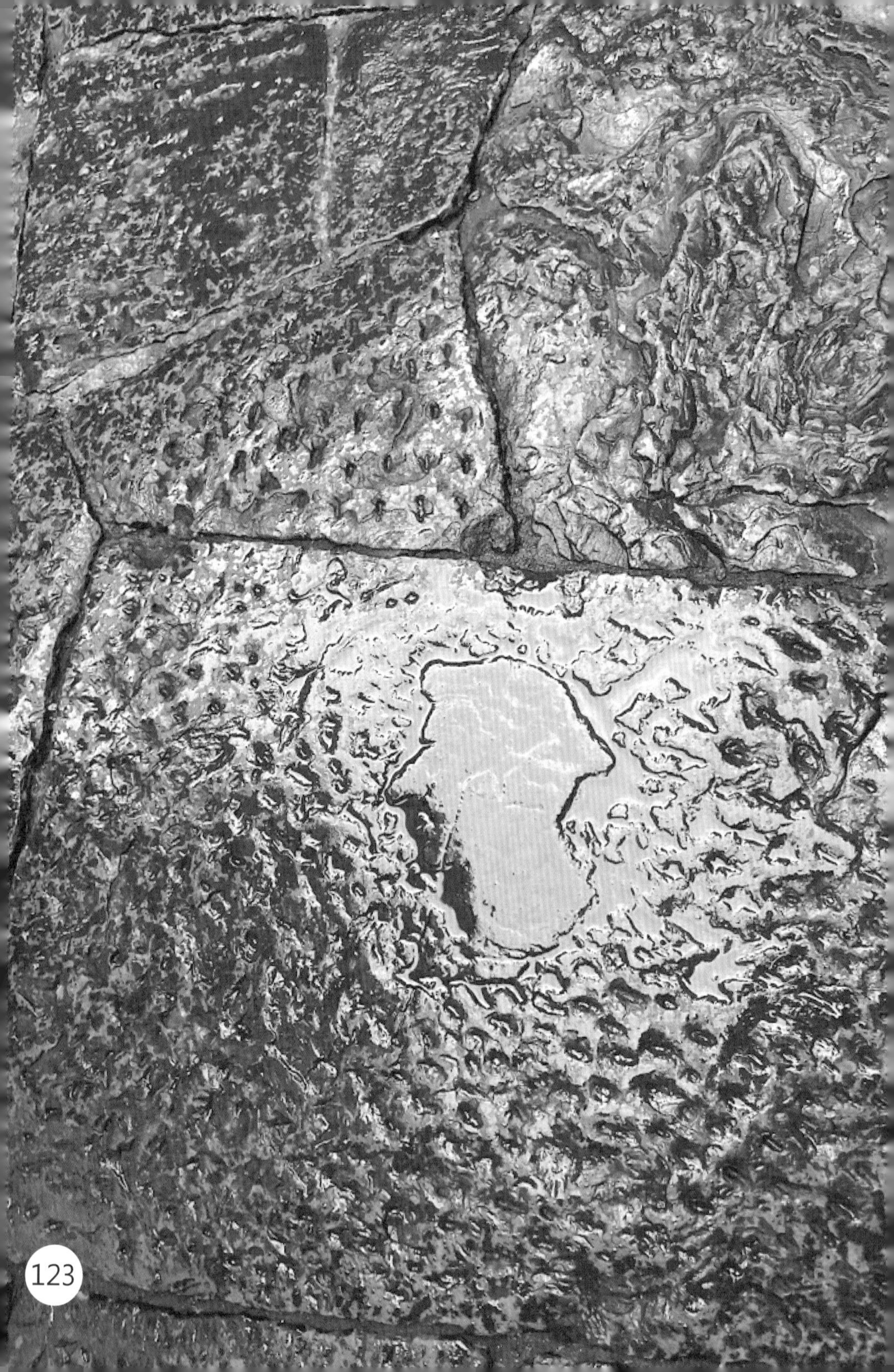

風飛沙舞

門外 屋簷下 雨滴
每個午夜晨曦 悄悄地
青苔早已遍佈 內心

角落 騎樓下 風飛
每個孩提的夢 慵懶地
記憶早已飄散 宇宙

遠處 山丘下 沙舞
每個走過的路 模糊地
感知早已呼應 界限

單頻一

缺了共鳴的單頻

你的話語直下 嚇
成串的 形成刺枝
射入心頭 築成圍牆

我的淚珠兒滴 滴
成串的 激起漣漪
落入心湖 深不見底

牆內荊棘蔓佈 怖
成串的 纏纏繞繞
沒入心田 乾涸枯竭

壞了殘缺的對話

單頻二

你說了些什麼　在空中散去

我嘴角微啟端著話語　靜默

心是一口井　深沉的不見底

遠遠地雲層匯集伺機撥動

忽來的一陣雨透著涼意

既知躲不了又愛著這景

無知的攪動 淌成了渾水

此刻似是而非　各自東西

巧　遇

千年以後的大地

雨水風霜　日月侵蝕

足跡 蹤影　未必可循　唯有

湖中的倒影　小徑上的石頭

挺拔的杉林　氣勢磅礴的山巒

眼神深峻的對話　留在峽谷

歌頌著關於那段巧遇的美麗

絕 響

唱盤 跳針
卡在澎湃的 頂端
沙啞變調 自成一格

相簿 舊聞
停在稍縱的美好
回味無窮 箇中苦樂

指觸 筆尖
寫在動盪的邊緣
宣洩煩躁 情事盡溯

捕捉2020 絕響的留白

“思緒處處隨之牽動”

Chapter IIII

Migration in Thoughts

詩人 和他的詩 存亡與共

河流 源水 滋潤

陽光 朝氣 島嶼

所在的與之遙望

無際的大海 草原

緩緩述說著誰與誰

相互交集 錯過的故事

崛起 放逐 遊走 歸赴

扎針刺痛的摳心

又或從容自在的

豐富單調

每一次傾吐的感覺 重生

只願再現生命裏

不斷流動的力與美

肆章

見意思遷

MBERS & FRIENDS OF THE SEAGULL SCHOOL

背　道

當你執意憂傷度日
我也不忍開心片刻

當你粗鹽覆蓋傷口
我也不忍蜜糖裹心

你　深陷那無止境的哀怨
我　無奈　無力無法附和

沉默　已成無形的牆

你　臣於角落之痛
我　服於天際之闊

追

日出日落 每一天

追逐夢幻般的 意

泡沫中 隱影

僵化的身軀

止不住蓬勃的 思

不曾想見 卻

在各處 遇見

熟悉 陌生的 自己

Cinderella

遺世一

沈重的鎖　勉強掛著

搖搖欲墜的深厚大門

青苔蔓延霸佔了出路

藤條交錯佈滿斑駁的牆

夾縫中呼嘯而過的嘆息聲

禁不住歲月侵蝕　腐化了記憶

一個世代的故事　繁華　殞落

遺世二

就是這裡了
玻璃窗上枯樹的倒影　反映出複雜的心情
我推開門　萬種風情的傢俱散落各處
吸引我的那張椅　與我無奈的互望
牆上的油墨畫抽象畫　無論如何較勁　也留不住目光
時間的魔棒吸乾抽離整個空間
遺留在某個輝煌過後的樣貌　只有貓兒們還會一再回來
看著我無心之舉　竟然擾亂了原本的時空

喵喵　陌生人 好奇心留給我們　去吧　回去你的世界

遺世三

貓兒們怎知前世的事 不假思索我摘下面具沙啞的說⋯

好奇正是我名 竟成為進入殿堂的鑰匙

一陣風夾帶落葉喧嘩的跟進 破除魔咒下的冷清

屋子裡不再容許孤獨 鴿子藉著壁爐從容的進場 咕嚕咕嚕的試著傳遞某種訊息

眼前諾大的水晶燈垂吊而下 迴旋而上神秘的樓梯頻頻邀請

每踏一步木階就響起不甘寂寞的嘎嘎聲 迴盪空中

蜘蛛放棄結網 匆匆離去

一絲絲的不安裹住了雙腳 沈重的阻止我踏出下一步

Fighter　沒有性別

身份是經驗的累積

強烈的使命感驅使

詮釋存在的意義

困難雕塑重量

活出當下　無懼

你的名字是　鬥士

屋裡屋外瓦礫石牆
多少故事上演又落幕

過往緊緊附著舊物
塵埃依戀的貫穿廳堂

鈴鐺不響廚房靜置
人影幢幢窗前徘徊

留不住世代的青春
興衰浮沈不絕已百年

屬於我不曾的痴想
暗自迷戀的・・・莊園

機械未來

未來 如是說

陽光 燈光 am pm

強 弱 無法區別

世界 用不著起身

唯有 螢幕閃爍的光

冰冷的對照

機械式的 語言

一直以來

晨曦一道曙光乍現
睡夢中　隱約
忽遠忽近的鳥叫聲
公路呼嘯而過的車聲

卻

想不起自己身在何處

走過的地方總要停留
只為由裡往外
一面面窗裡框著的景象
珍藏在記憶盒裡

變化

是歲月的影響
執著的 隨意的
一陣風雨過後

句點　問號　點點點

ΦΟΒΟΥ ΤΟΝ ΚΥΡΙΟΝ

只 想發呆
只想 發呆
只 想 發呆

隱藏在暗處的 糾結
會不會自動消除跳過
人事物的掙扎 偶爾攪和
誠實是一面鏡子 高掛

時間格子

從未來看現在

會 亦或不會
貪 亦或不貪

緣份 無法秤量的份
散佈 各個時間格子
輕易的 成了過往的塵煙

無所謂的所謂決擇
軌跡如實的被紀錄著
在長眠之前
爾後安於天家

熱鬧的景物
微笑的臉龐 掩飾不了寂寞

我們是過客
劃過天際的流星 留下孤獨

喧賓奪主的
是誰唱出了 不成形的曖昧

逕自的對話
電線桿於巷弄間 低語流傳

主角或配角
總有一個面相 默默地存在

再也無關表象 隨著喜好呈現

一進一出　一樣藍天白雲 咖啡香

一樣紅磚綠野 花嬌豔

一季風雨豔陽 陰與晴

一番情境來去兩番滋味

一生一世一人一路一直

走不完道不盡愛戀情愁

DISCOVER
UNIQUE
CAMBRIDGE
LOVE
CAMBRIDGE
Explore Cambridge
LOVE
LOVE
LOVE
LOVE
LOVE
CAMBRIDGE
DISCOVER
UNIQUE
CAMBRIDGE
LOVE
CAMBRIDGE
Explore Cambridge
SEASALT
SEASALT
SEASALT CORNWALL

尋

樹梢尋葉影

花間尋香蜜

浪來尋沙田

湖中尋漣漪

路徑尋房燈

人心尋知己

煉

洗鍊的過程　如一波波浪襲

穿過熟悉的痛　悲傷之衣
溫度擺盪　極度燥熱　極度寒顫
眼淚未留已乾　微涼之心
平行與垂直的撞擊　同時同重

落在悲喜得失之橋　來去徘徊

寧願不動　是至極的逃避感知
痛苦的抓住　放掉痛苦的循環
鬆動形容詞　剩下動詞的掙扎
單薄的外表下　難以嚥下寒暄

於是脫下偽裝的面具
聽見裡面混亂的吶喊
誰能接受真實的自己

咀嚼唯一不變的真理 ...
仰賴厚實的信念　我的耶和華

變 化

沒人知道 這些 消失了一陣子

沒人知道 這些 何時會再出現

空氣散發出 太多的歡樂訊息

附著層層甜蜜 潤飾原有的鈍銹

在塵囂之上 俯視大地萬象

高貴與低微夾雜 不同的間距

一眼望去 這些 沒什麼變

變的是 漫長 遊子的心

SB
GALERIE
SABINE BAYASLI
MOUNE

夢囈一

關在屋裡的日夜

靈魂與肉體交談

彼此接近的對看

少了化妝露出原形

赤裸的真實令人困窘

牆壁圍繞 無處可逃

堆滿的情緒直到 解禁

狂熱的人潮湧入海邊

這日 生活重於生命

這日 自由超越一切

夢囈二

宇宙銀河的異世界
荒腔走板的時空裡

權力至上　行徑冷漠

狂風不是無情
吹走髒亂

暴雨不是濫情
洗淨大地

火燒不是絕情
以身警示

病毒猖狂肆虐
人形凋落

古老的預言
一一應驗

敗壞之路始於驕傲
智慧之門誰能開啟

失　去

水中倒影不見塵

林中樹密不見陽

鏡中無物不見人

心中無趣不見光

日夜聽著　止不住抽搐的哭泣聲

無法擁抱最後的身軀　錐心刺痛

只是風啊　你如何忍心　置身世外

隔著窗　讓孤獨攬著　目送我的摯愛

無盡的不捨　如花絮飛舞　四處飄散

藏在爾後的每個花開之際

隨著意　思念奔馳　你無所不在

獻給所有在此時　天災人禍中　失去摯愛的人

長子的話

在我的眼裡，我媽媽是一個很勇敢又偉大的人，
沒想到轉眼我們在這個地球上已經相處快26年的日子！

雖然那麼多年了，還是常常忘記她只剩一隻眼睛的微弱視力，
從來沒看過她因此委屈而沮喪，反而把它變成一件正面的事，
以一個更獨特的視角生活。

有一回牽著媽媽的手，走在農場凹凸不平的小路上，
才意識到她行進的困難。我嘗試閉上一隻眼睛走路，
終於明白和體會到媽媽所經歷到的一小部分。

剛來英國的這幾年，處在一個沒有朋友和新的環境下，
媽媽從寂寞中找出了拍照的樂趣以及寫詩的靈感，
不知不覺也寫出了第二本書。

佟博倫 Bolun Topham

看完媽媽的詩詞後，我也發現自己的中文程度有待加強，

也給了我努力學習的新目標，希望將來能好好的分享給我的小孩！

如今媽媽的視力仍在退化中，依然三不五時的創作，

讓我十分感動和驕傲，祝福她能持續做她喜愛的事，

並且分享給我們。

Michael, granny Joy, Bolun and Bochyan

次子的話 Foreword

It never occurred to me that my mother would become a poet and photographer. She has always been a creative person. Photography was her passion, especially taking images of landscapes. Through just one eye, she developed a talent for capturing the beauty of everyday things.

During COVID, we spent most of our lockdown time at home in Cambridge. Her writing served as an escape from the mundane reality of being trapped at home and instead, as a way to escape into a fantasy world, while I produced music. Through artistic and creative abilities, we found an antidote to boredom and brought a little bit of excitement to our lives.It became a place to express emotions and discomfort.

Despite her impaired vision, my mother has achieved so much, and I am incredibly proud of her. Her newfound hobby of photography writing and publishing has given her a sense of purpose and accomplishment. It is also an opportunity for us all to bond over a "project" that involved my father, brother and uncle.

佟博謙 Bochyan Topham

Claiming to be an amateur, her poetry and photography are genuine and authentic. As a result, she has created something pure and beautiful. Her goal was never to make money and turn her book into a product, but rather to fulfil her dream of publishing and, more importantly, to leave behind something while her eyesight still permitted her to see.

Her work is a testament to her courage and determination. It is a reminder that no matter the circumstances, we can all make something meaningful out of our lives. It also serves as a source of inspiration for others with similar conditions.

Love to my mum.

編者的話

張肖龍

為求圓滿成雙 也想到了虛實無有 中西陰陽

第二本自然就以對比平衡的方式黑白左右

除提點另一眼看不見的視界 就欣賞美學 體驗生命而言

是必經的階段 並且同等重要

所有創作與分享的過程 是光陰最大的收獲

也是有您 才有意義

each turn and every turn is a right turn

無出其右

作　者：張意如
發行人：佟文邁

美術主編：張肖龍
裝幀設計：絲露思路

出　版：絲露有限公司
地　址：台北市大安區光復南路460號12樓之1
郵　箱：communicationfree@gmail.com
電　話：+ 886 938 735777

製版印刷：博創印藝
出版日期：西元二〇二三年五月

定　價：新台幣 470元整

國家圖書館出版品預行編目(CIP)資料
無出其右 ：My Right Turn ／張意如作
臺北市：絲露有限公司／ 2023.5
200／面；14.8 x 21 公分
ISBN 978-626-96346-1-3 (平裝)
1. 詩集 2. 攝影
863.51 112005569

M
Y
R
I
G
H
T
T
U
R
N

Author : Iris Chang

Publisher : Michael Topham

Design and Editor : Bruce Chang

Binding Design : Silk Dew

Publishing House : Silk Dew Co. Ltd.

Address : 12F-1, No. 460, Guangfu South Road,
Daan District, Taipei, Taiwan

Email : communicationfree@gmail.com

Tel : + 886 938 735777

Plate making and printing : Bochuang Graphic Arts

Publication Date : May 2023

Price : GBP£ 14

National Central Library Publication Index (CIP)

My Right Turn : Iris Chang

Taipei : Silk Dew Co. Ltd. / 2023.5

200 / page ; 14.8 x 21 cm

ISBN 978-626-96346-1-3 (Paperback)

1. Poems 2. Photography

863.51 112005569

英國劍橋小麥秋收

台灣阿美族豐年祭階級舞